熊警察裝備

USB
警笛

3D眼鏡

案件筆記本

快沒電的
熊掌手電筒

警笛安全帽

熊餅乾

便當警帽

10G手機

交通安全
背心

不要射我

水壺對講機
(可插吸管)

有破洞的防彈衣

熊警徽
胸章/臂章

階級章

交通指揮棒

彈簧手銬

萬用腰帶

打他不要打我
POLICE BEAR

手槍套

警察手冊　竹子警棍　　對講機　萬用包　　防爆盾牌
(可以偷放熊餅乾)

貓熊警察

恐龍蛋失竊事件　文‧圖　信子

今天的熊警察派出所輪到貓熊警察波力，

和他的好搭檔恰恰值班，

他們的工作是打擊犯罪，維護治安。

但是，今天好平靜，什麼事情都沒有發生……

波力的話才說完，
報案電話就響了！

是三角龍媽媽，她遇到危險了！

波力騎著恰恰，立刻出動！

他們想先到實驗室拿裝備，
但是恰恰放屁衝得太快，
一頭撞上了榴槤博士。

沒有！被你一撞，快要完成的「超級警槍」變身失敗了！

真可愛 ♥

嗶！
! !

趁博士不注意的時候，警槍跳上桌子大吃特吃！

不～

別吃我的便當啊！

真好吃～

嗶！

啊嗯啊嗯～

沒想到這把超級警槍變成了一把貪吃又會吐便便的「便便警槍」。

根本不受控制啊，怎麼會這樣……

哎喲喂！

呵呵，它跟我一樣貪吃。

別跑！快回來！

嗶！

嗶！

嗶！

嗶！

抓得到嗎？

抓不到吧……

榴槤博士好不容易
把便便警槍抓回來。

這隻警槍可以送我
嗎？真想要！♥

便便警槍在籠子裡
很難過的一直哭。

嗶！

嗶！

嗶！

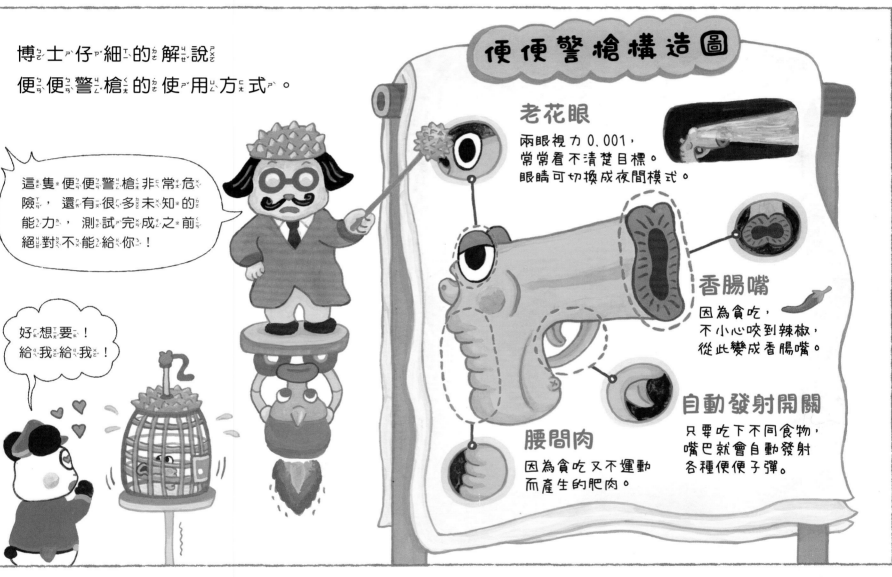

博士仔細的解說
便便警槍的使用方式。

這隻便便警槍非常危
險，還有很多未知的
能力，測試完成之前
絕對不能給你！

好想要！
給我給我！

便便警槍構造圖

老花眼
兩眼視力 0.001，
常常看不清楚目標。
眼睛可切換成夜間模式。

香腸嘴
因為貪吃，
不小心咬到辣椒，
從此變成香腸嘴。

自動發射開關
只要吃下不同食物，
嘴巴就會自動發射
各種便便子彈。

腰間肉
因為貪吃又不運動
而產生的肥肉。

而且如果隨便讓他吃東西，
非常有可能會發生意外！

輕……

慢……

快……

走囉！

任務通道

快

波力趁博士一直講話的時候，
偷偷打開了籠子的門……

波力跟恰恰終於滑到出口，
但是衝得太快，
兩人一頭撞到地板上。

好不容易爬起來時，
恰恰的鼻子發光了！

波力伸手按了一下，
恰恰突然把手舉起來！

咕！

變身！

分離

變形

噴射

變身！噴射豬警車！

小豬加速器

會自動啟動，
一開車就無法停止。
（危險不要亂碰！）

驚喜置物箱

每次打開都不一樣，
今天放的是豬肉貢丸。
（便便警槍一直偷吃！）

警笛安全帽

使用時會發出
巨大的警笛聲！
（可怕的噪音）

豬皮氣塑座椅
豬皮光滑重量輕，
但每次開車前要先把氣吹飽！
（建議多練習吹氣）

安全小座位

便便警槍專屬座位，
除了柔軟的沙發，
還有飲料裝置。

兩段式豬頭燈
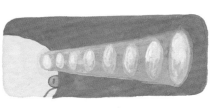
可以調整白天／晚上兩種模式
（不過白天有開等於沒開）

警徽

豬鼻孔車牌

對美食的味道特別靈敏。
（單純拿來耍帥用）

豬耳朵後照鏡

伸縮自如的拳擊豬手套
平常偽裝成警徽，
遇到危險時就會自動發射！
（另一側也有）

豬屁引擎
會一直亂放屁，
但好像能加快速度跑更快？
（臭到變成空氣污染了）

提神豬噴餅
聽說吃了能夠提神，
還有補氣養身的功能。
（真的嗎？）

豬腳輪胎

有點破舊，
剎車時經常停不下來！
（為了生命安全請繫安全帶！）

咳！
咳！　　咳！

豬ㄓㄨ警ㄐㄧㄥ車ㄔㄜ啟ㄑㄧˇ動ㄉㄨㄥˋ！
發ㄈㄚ射ㄕㄜˋ便ㄅㄧㄢˋ便ㄅㄧㄢˋ子ㄗˇ彈ㄉㄢˋ衝ㄔㄨㄥ刺ㄘˋ，
全ㄑㄩㄢˊ力ㄌㄧˋ趕ㄍㄢˇ往ㄨㄤˇ噴ㄆㄣ火ㄏㄨㄛˇ龍ㄌㄨㄥˊ市ㄕˋ場ㄔㄤˇ！

波力趕到市場時，
三角龍媽媽正坐在地上哭，
眼淚都淹到馬路上了！

警察先生，我的孩子被偷走了，
他是一顆有黃色條紋的蛋。

那是我懷胎18個月
生下的寶貝，
拜託幫我找回來！

小偷鼻子有長角，
嘴巴是紅色的，
還戴了一頂帽子。

哈啾！

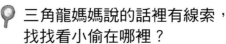

三角龍媽媽說的話裡有線索，
找找看小偷在哪裡？

2 個犯人從監獄裡逃走了，
找一找，他們跑去哪裡了？

是誰在邊唱歌邊澆花？

市場裡有一輛胡蘿蔔車，找一找在哪裡？

捕鼠人正在追捕 7 隻小老鼠，快幫幫他！ ×7

找出藏在圖中的 5 顆蘋果和 5 顆星星圖案。 ×5

☆×5

17

波力帶著恰恰進入市場調查。
聽說小偷還在附近，
他會躲在哪裡呢？

就在這個時候，
恰恰的肚臍發光了！

波力按了下去，
恰恰就突然跳起舞來！

接著便出一支豬便便麥克風，
專門用來問出犯人的行蹤。

噗滋！

嗶！

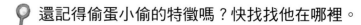

鴿子署長來幫忙

還有很多小案件喔！

🔍 還記得偷蛋小偷的特徵嗎？快找找他在哪裡。

🔍 市場入口的牆上有一張遺失物海報，幫忙找出東西到底掉在哪裡。

🔍 有一位鴨嘴獸背包客正在問路，他在哪裡呢？

🔍 在市場中找出 5 顆星星 ☆×5 和 3 根骨頭的圖案。 🦴×3

🔍 有 6 個化石貝殼藏在市場中， 🐚×6 你能全部找出來嗎？

波力拿著麥克風開始詢問目擊證人，
大家形容的小偷長相都變成照片浮在空中，
到底誰說的才正確呢？

鴿子署長來幫忙

🔍 線索 1 注意觀察下方每個證人說的話，連連看，找出他們看到的小偷是哪一張照片。

🔍 線索 2 上方 10 張照片裡的小偷有一些相同的特徵，可以兩個配成一對，總共可以配成 5 對喔。請全部找出來，畫在左上角的答案圈裡。

我有看到像公主的恐龍。

我有看到頭髮捲捲的河童。

我有看到像佛祖的恐龍。

我有看到一直挖鼻孔的恐龍。

我有看到下巴有山羊鬍的恐龍。

我有看到嘴巴很大的大嘴龍。

波力和恰恰繼續蒐集情報時，
突然聽到後面巷子傳來求救聲。

他們急忙趕過去，
但是恰恰不小心又放屁，
一下子衝得太快……

快追！

把冰淇淋給我！

嗚嗚嗚……

咿 啊！

一頭撞上恐龍妹！

大家摔成一團，
小偷趁機又跑走了。

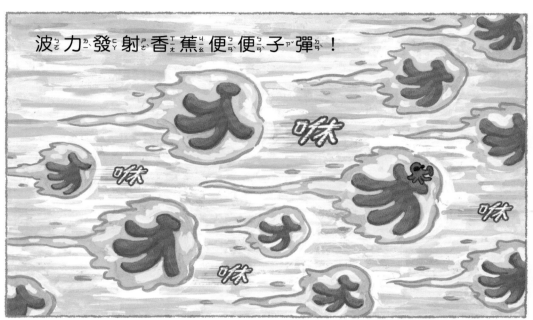

波力發射香蕉便便子彈！

但是一槍也沒射中小偷……

反而是恰恰踩到香蕉便便，
兩個人一起跌進下水道裡。

偷蛋小偷趁機逃跑，
波力和恰恰緊追在後。

他們從巷口追到巷尾，
又從巷尾追到巷口。

鴿子署長來幫忙

還有很多小案件喔！

📍 比一比上下兩張圖，店裡總共有 7 個地方發生變化喔。

📍 仔細看看，是誰在偷吃糖果？

📍 有 5 隻蝙蝠怪盜躲在上面那張圖裡，找出他們的藏身地點。

📍 在上面的圖中找出 4 個被蝙蝠怪盜藏在店裡的失竊物品。

蝙蝠怪盜 ×5

 便便寶石　 大象茶壺　 鴨蛋超人　 雷射警槍

站住！

嘿嘿嘿
你上當啦！

波力好不容易
快要追上時，

糟糕！

嘓！

嘿嘿嘿

一大堆甜甜圈岩石
突然滾了過來！

啊

啊

啊

啊

岩石越滾越快，
他們拚命往回跑。

啊

救命啊！

救命啊！

哇

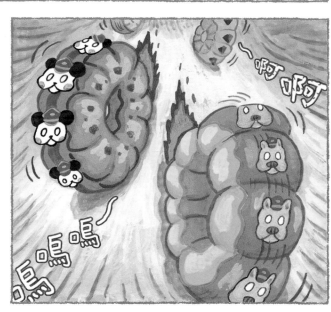

啊啊

嗚嗚嗚

砰！

砰！

小心落石

再見啦～

誰來救救我……

救命啊！

波力和恰恰被撞得頭暈
眼花，差點爬不起來。

而小偷當然又趁機跑掉了，
波力覺得好沮喪。

我們又追丟了，
怎麼辦……

看我的厲害！

嗶！

就在這時候，
恰恰的尾巴亮了起來……

27

波ㄅㄛ力ㄌㄧˋ轉ㄓㄨㄢˇ了ㄌㄜ˙轉ㄓㄨㄢˇ恰ㄑㄧㄚˋ恰ㄑㄧㄚˋ的ㄉㄜ˙尾ㄨㄟˇ巴ㄅㄚ˙，
兩ㄌㄧㄤˇ道ㄉㄠˋ光ㄍㄨㄤ芒ㄇㄤˊ從ㄘㄨㄥˊ恰ㄑㄧㄚˋ恰ㄑㄧㄚˋ的ㄉㄜ˙眼ㄧㄢˇ睛ㄐㄧㄥ射ㄕㄜˋ出ㄔㄨ，
空ㄎㄨㄥ中ㄓㄨㄥ浮ㄈㄨˊ現ㄒㄧㄢˋ一ㄧˋ張ㄓㄤ張ㄓㄤ監ㄐㄧㄢ視ㄕˋ器ㄑㄧˋ的ㄉㄜ˙畫ㄏㄨㄚˋ面ㄇㄧㄢˋ，
裡ㄌㄧˇ面ㄇㄧㄢˋ一ㄧˊ定ㄉㄧㄥˋ有ㄧㄡˇ小ㄒㄧㄠˇ偷ㄊㄡ的ㄉㄜ˙行ㄒㄧㄥˊ蹤ㄗㄨㄥ，快ㄎㄨㄞˋ來ㄌㄞˊ幫ㄅㄤ忙ㄇㄤˊ找ㄓㄠˇ一ㄧˋ找ㄓㄠˇ！

波ㄅㄛ力ㄌㄧˋ找ㄓㄠˇ了ㄌㄜˇ好ㄏㄠˇ久ㄐㄧㄡˇ，
終ㄓㄨㄥ於ㄩˊ跟ㄍㄣ著ㄓㄜˇ腳ㄐㄧㄠˇ印ㄧㄣˋ來ㄌㄞˊ到ㄉㄠˋ一ㄧˋ間ㄐㄧㄢ
可ㄎㄜˇ疑ㄧˊ的ㄉㄜˇ餐ㄘㄢ廳ㄊㄧㄥ……

鴿子署長來幫忙

還有很多小案件喔！

🔍 小偷背著偷來的蛋躲進餐廳裡，他躲在哪裡呢？

🔍 餐廳裡有一隻戴著帽子的蛇，牠在哪裡呢？

🔍 有三隻恐龍背後分別寫著 A、B、C，找一找他們
在哪裡。

🔍 找找看，是誰站在餐桌上吃冰棒？

🔍 綁蝴蝶結的貓把 5 根魚骨頭藏在餐廳裡，
你能全部都找出來嗎？ ×5

🔍 哈囉宅配員來送起司，是要給誰的呢？

🔍 找出 4 個隱藏在餐廳裡的青蛙圖案。 ×4

他們一走進餐廳，
就發現裡面每一隻恐龍
都長得很像偷蛋的小偷……
波力該怎麼辦呢？

波力打開迷宮出口跳下去，
沒想到竟然掉進了陷阱裡！

他們被網子緊緊綑住，
便便警槍還被小偷搶走！

原來， 他們一直追捕的小偷
是一隻偷蛋龍，
而這裡是他的恐龍僕人培育室，
專門孵化偷來的蛋。

偷蛋龍想要用便便警槍去偷更多的蛋，
所以他設下陷阱，從波力手中搶走便便警槍，
拿出各種美食讓它吃到飽。

上菜囉～

多吃一點。

嗶 嗶

便便警槍看到什麼
就往嘴裡塞，

咕嚕～
咕嚕～

它一直吃、一直吃，

吃吃吃……

吃到快要吐了……

反

嗶～

詭計得逞的偷蛋龍
拿起便便警槍打算對付波力和恰恰。
沒想到便便警槍突然全身發抖，
嘴巴越脹越大，接著就……

嘿嘿嘿，
你們完蛋啦！

救、救命啊……

嗶

嗶

嗶

「砰ㄆㄥ！」
便ㄅㄧㄢ便ㄅㄧㄢ警ㄐㄧㄥ槍ㄑㄧㄤ的ㄉㄜ嘴ㄗㄨㄟ巴ㄅㄚ突ㄊㄨ然ㄖㄢ發ㄈㄚ生ㄕㄥ大ㄉㄚ爆ㄅㄠ炸ㄓㄚ！
它ㄊㄚ把ㄅㄚ剛ㄍㄤ剛ㄍㄤ亂ㄌㄨㄢ吃ㄔ的ㄉㄜ食ㄕ物ㄨ
一ㄧ口ㄎㄡ氣ㄑㄧ全ㄑㄩㄢ部ㄅㄨ吐ㄊㄨ了ㄌㄜ出ㄔㄨ來ㄌㄞ！

整棟餐廳都被炸毀。
大象消防員趕來救火，
斑馬醫生也到現場治療傷患，
熊警察們一邊指揮交通，
一邊調查爆炸的原因。

偷蛋龍被帶回熊警察派出所審問，
各大電視媒體都跑來連線報導。

波力順利找回被偷的蛋，完成了任務。
不過，三角龍媽媽跑去哪裡啦？

偷蛋龍的媽媽來監獄探望他。
仔細看看這裡，
好像還關了很多新的犯人呢。

我的孩子～～
媽媽在這裡啊～～

咦?!

爸爸！

等級 **06**

繪本作家背包圖鑑 NO.11

繪本作家 **信子**

HP 667/667

Exp 165/252

基本介紹

外表像是可愛青蛙特徵的繪本作家，肚子是白色，聽說只要一緊張肚子就會膨脹到非常大；香腸嘴巴為肥嫩橘色小嘴。個性非常低調，只要風吹草動就會利用有彈力的後腳，跳到不見蹤影。捕抓時非常不容易，屬於稀有型繪本作家。

作者體質表

圖畫 7
創意 9
角色 8
畫圖速度 5
特色 6
故事 8

呱～

綜合未來潛力值：**66%**
戰鬥力：**1106**/9999

好朋友 **哈囉**

等級 **01**

HP 106/106

Exp 88/112

綜合未來潛力值：**10%**
戰鬥力：**10**/9999

基本介紹

肥肥嫩嫩的長毛賓士貓，貓毛屬於柔軟型，摸過的人經常成為粉絲，導致作者人氣不如貓。經常用肥肉壓畫紙，用貓毛沾顏料，屬於普遍型的搗蛋好幫手。

作者自評表

70分	長相
85分	才華
75分	創意
60分	體力
99分	稀有
99分	懶惰

屬性：草系青蛙　　綽號：繪本鬼才作家（自己取的）

誕生：1987年11月6日（可以送禮物給我）　個性：呆萌

畢業學校：復興商工廣設科　出沒地：新北市板橋

技能：打電動、呱呱叫、自寫自畫、吃飽睡飽

哈囉體質表

攻擊 1
絕招 1
可愛 9
速度 3
HP 3
防禦 1

哈囉自評表

99分	長相
99分	才華
99分	創意
99分	體力
99分	稀有
99分	懶惰

隱藏版

信子的創作工作桌 平常沒人看就一起大公開了！

想故事的工作桌

出版作品：《貓熊警察推理遊戲寶盒：便便寶石謎團事件》、《奇怪阿嬤》繪本系列集、《誠品迷宮小書》等書。繪本小書：蛋蛋系列小書、《迷宮小小書》、《每天都想說愛你》、《聖誕迷宮小書》等等。

作品獲2005資訊月設計首獎、2013好書大家讀年度最佳讀物獎、2018桃園插畫大展競賽首獎。作品售出馬來西亞、新加坡版權。

感謝名單

指導單位 文化部 MINISTRY OF CULTURE

內政部警政署警察史蹟館參訪
新北市政府警察局板橋分局參訪
警政署秘書室警務正-李承穎、吳明后專員訪談
時任新北市政府警察局板橋分局-林志學組長訪談

繪本 0284

貓熊警察 恐龍蛋失竊事件

作繪者｜信子

責任編輯｜劉握瑜、李寧紜　美術設計｜林子晴　行銷企劃｜溫詩潔
天下雜誌群創辦人｜殷允芃　董事長兼執行長｜何琦瑜
兒童產品事業群
副總經理｜林彥傑　總監｜黃雅妮　版權專員｜何晨瑋、黃微真

出版者｜親子天下股份有限公司　地址｜台北市 104 建國北路一段 96 號 4 樓
電話｜(02)2509-2800　傳真｜(02)2509-2462　網址｜www.parenting.com.tw
讀者服務專線｜(02)2662-0332　週一～週五：09:00~17:30　傳真｜(02)2662-6048　客服信箱｜bill@cw.com.tw
法律顧問｜台英國際商務法律事務所・羅明通律師　製版印刷｜中原造像股份有限公司
總經銷｜大和圖書有限公司　電話｜(02)8990-2588
出版日期｜2019 年 10 月第一版第一次印行　2021 年 11 月第二版第一次印行
定價｜450 元　書號｜BKKP0284P　ISBN｜978-626-305-066-2（精裝）

國家圖書館出版品預行編目 (CIP) 資料

貓熊警察：恐龍蛋失竊事件／信子文．圖．
－第二版．－臺北市：親子天下股份有限公司，2021.09
48 面；35.5×25.3 公分
ISBN 978-626-305-066-2（精裝）
1. 兒童遊戲 2. 繪本
523.13　　　　　　　　　　　110012468

訂購服務

親子天下 Shopping｜shopping.parenting.com.tw
海外・大量訂購｜parenting@cw.com.tw
書香花園｜台北市建國北路二段 6 巷 11 號　電話 (02) 2506-1635
劃撥帳號｜50331356　親子天下股份有限公司

立即購買 >

親子天下 Education・Parenting Family Lifestyle　Shopping

破獲！鴿子署長指揮作戰⋯⋯

大宗失蹤

焦點
便便警槍
新偶像誕生！

打擊犯罪！

榴槤亂報

DURIAN DAILY

財團法人隨便認真發行
社長/編輯/送報員：信子
76年隨便出刊.每刊5元
第666期.看當天心情休刊

【喵記者 / 餐廳報導】熊警察派出所今天早上6點15分接到一通三角龍媽媽打來的報案電話，說當時逛噴火龍市場時，因為顧著買便宜的裙子，一不注意孩子就被偷走了。

警方表示，由於當時情況非常緊急，由貓熊警察波力和豬警察恰恰前往偵辦，並由榴槤博士特別提供「便便警槍」武器支援。員警到場後，立刻展開調查，經過多位目擊者提供線索，以及便便警槍大展身手，終於成功在龍豬蛋餐廳抓到偷蛋小偷，並一網打盡共犯，破獲了這起大宗失蹤兒童案件。

◎喵記者採訪於龍豬蛋餐廳

熊警察派出所立大功!!!

兒童案件

◎三角龍母子團聚

媽媽～

多虧我的發明⁇

A犯人
B犯人
C犯人

◎記者會時特別表揚員警，頒發好吃竹子冰淇淋獎勵。

【呱拉記者／醫院報導】貓熊警察波力在市場偵辦時發現，一名恐龍疑似背著失竊的蛋。員警立刻上前盤查，沒想到嫌犯加速逃逸，一路往小巷弄逃跑，員警也拚命追捕，追捕過程波及無辜民眾，造成現場發生便便慘狀，馬路臭翻天，還疑似太臭只要一路過就會暈倒，榴槤醫院也趕緊加派醫生趕往現場支援。

【喵記者／餐廳報導】龍豬蛋餐廳爆炸後，老闆強調餐廳與偷蛋龍沒有關係，也不知道為什麼地下室會有這麼多蛋。現在餐廳停止營業，交由員警偵辦，希望能加緊搶修，並預計於2個月後，改名為「龍蛙蛋餐廳」重新開店。

維修中

貓熊警察 參考解答頁

12-13 頁 任務通道

—— 迷宮路線　　○化石貝殼

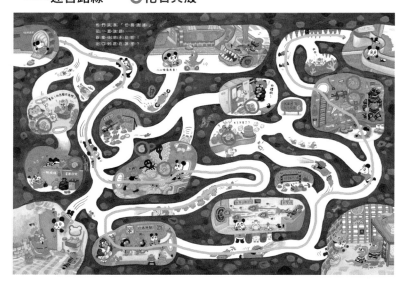

16-17 頁 噴火龍市場入口外

○小偷、2 個犯人、澆花人、胡蘿蔔車
○星星　　○蘋果　　○小老鼠

18-19 頁 噴火龍市場

○小偷、鴨嘴獸　　○星星　　○骨頭　　○遺失物　　○貝殼

20-21 頁 目擊證人

—— 照片連線

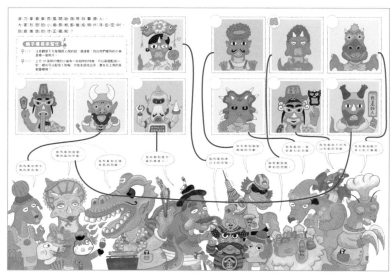

24-25 頁 下水道迷宮

—— 迷宮路線　　○黃金便便

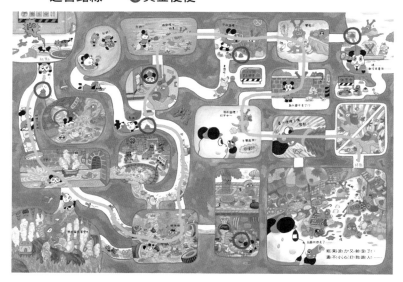